L'AGENT 212

SIFFLEZ DANS LE BALLON!

Dessins:
Daniel Kox

Scénario:
Raoul Cauvin

DUPUIS

D. 1989/0089/88
ISBN 2-8001-1676-5 — ISSN 0771-8004
© Dupuis, 1989.
Tous droits réservés.
Imprimé en Belgique.

Le poulet voit rouge

Contagieux contaminé...

BON.' ATTENDEZ.' SURTOUT, NE BOUGEZ PAS DE LA.' JE VAIS ESSAYER DE VOUS VENIR EN AIDE.'

MERCI.' VOUS ÊTES DRÔLEMENT CHOUETTE!

PEU APRÈS...

FAN... FANTASTIQUE! C'EST BIEN LA SEULE PERSONNE QUI... MAIS COMMENT AVEZ-VOUS FAIT?

JE NE LUI AI PAS DIT CE QUE VOUS AVIEZ.' RELEVEZ VOTRE ÉCHARPE POUR QU'ELLE NE S'APERÇOIVE DE RIEN...

PÊT PÊT

MAIS... MAIS VOUS NE CROYEZ PAS QUE...

IL Y A NEUF CHANCES SUR DIX, HÉLAS! MAIS NE VOUS INQUIÉTEZ PAS... IL LUI RESTE TOUT DE MÊME UNE CHANCE, NON?

A L'HÔPITAL, S'IL VOUS PLAÎT, MADAME!

OH! PAUVRE MONSIEUR! VOUS ÊTES SOUFFRANT?

EUH... UNE RA- GE DE DENTS!

ET VOUS N'AVEZ PAS TROUVÉ DE TAXI?' COMME C'EST NA- VRANT.' NOTEZ QUE JE RECON- NAIS BIEN LA' MON BEAU-FILS! POUR VENIR EN AIDE AUX GENS, IL A UN COEUR D'OR...

PÊT PÊT

BEAUCOUP PLUS TARD...

OOOH! MAMAN... COMME C'EST TRISTE! NOUS ÉTIONS SI CONTENTS QUE TU VIENNES PASSER QUELQUES JOURS CHEZ NOUS... COMMENT... AH! TU CROIS QUE C'EST LA ROUGEOLE! HEIN?' QUOI? COMMENT? D'ACCORD, JE LUI DIRAI...

ENFIN, IL Y A QUAND MÊME QUELQUE CHOSE QUE JE NE COM- PRENDS PAS! POURQUOI EXIGE-T-ELLE QUE TU LUI RENDES UNE PETITE VISITE? ELLE SAIT POURTANT QUE C'EST CONTA- GIEUX, CETTE MALADIE-LA'... CHÉRI, JURE-MOI QUE TU N'AS RIEN A' VOIR DANS CETTE HISTOIRE...

QUI.... M... MOI? ALLONS, MON LAPIN, QU'EST-CE QUE TU VAS PENSER LA'?!

2 N°11

Marabout bout de ficelle

CAUVIN + J. KOX 89

5 N°209

Mayday ! Mayday!

Comme les Rois mages en Galilée ...

C'est chouette, l'école ...

Affaires louches

QUELLE FAMILLE...

AVEUGLE SOURD MUET PARALYTIQUE CUL-DE-JATTE

AVEUGLE SOURD MUET PARALYTIQUE CUL-DE-JATTE

ÇA, C'EST LE DERNIER DE LA RUE...

MINGE ! IL N'Y A PAS GRAND-CHOSE...

JE TE L'AVAIS BIEN DIT ! CETTE RUE NE VAUT RIEN ! IL N'Y A JAMAIS PER — SONNE QUI PASSE !

AVEUGLE SOURD MUET PARALYTIQUE CUL-DE-JATTE

HMM...ÇA MARCHE, LES AFFAIRES !?

DITES DONC, IL Y EN A ENCORE BEAUCOUP COMME ÇA !!

BEN... HEU... ENCORE UNE PETITE VINGTAINE, JE CROIS...

JE L'AVAIS PRÉDIT, LÉON ! AVEC CINQ OU SIX, ÇA POUVAIT MARCHER, MAIS DEUX CENTS, ÇA RISQUAIT DE NE PLUS PASSER INAPERÇU !

AVEUGLE SOURD

FIN

Touche-à-tout

VOUS, ESSAYEZ DE ME DÉNICHER UN GARAGISTE! JE M'OCCUPE DU RESTE!

MERCI, M'SIEUR L'AGENT! MERCI!

ziiiip
ziiiip

ET TOI, FISTON, ÉCOUTE-MOI BIEN! TU VAS T'ASSEOIR GENTIMENT SUR LA BANQUETTE ARRIÈRE, ET TU NE TOUCHES PLUS À RIEN, COMPRIS?

ziiip zilip

PFUiiiiT
PFUiiiiT
ziiiip
ziiip

À RIEN, J'AI DIT!

Ziiiiii

TUUUT TUUUT

ÇA SUFFIT, OUI!!

BROOOM BROOOM

ON NE TOUCHE PAS À L'ACCÉLÉRATEUR! ON NE TOUCHE PAS À L'ACCÉLÉRATEUR!

BÔM BOM

ON SE CALME!

ON SE CALME!

CÂÂÂLME...

DIS-MOI, TU ME SEMBLES ÊTRE TRÈS INTELLIGENT POUR UN GAMIN DE TON ÂGE! ALORS TU VAS FAIRE EXACTEMENT CE QUE JE VAIS TE DEMANDER, D'ACCORD?

TU VOIS, LÀ, IL Y A UNE PETITE MANIVELLE! MMM? TU VAS LA TOURNER BIEN GENTIMENT, VU? ALLEZ, VAS-Y!

MILLE MILLIARDS DE ⊙☆! MAIS QU'EST-CE QUE TU VAS FAIRE DANS LA BOÎTE À GANTS? Y A PAS DE MANIVELLE DANS LA BOÎTE À GANTS!

LÀ! LA MANIVELLE! SUR LA PORTIÈRE! MAIS REGARDE DONC, FILS DE 🥔☆#! LÀ'À, J'AI DIT!

RHÔÔÔ!...

TOC

MAIS QU'EST-CE QUE VOUS FAITES LÀ!? Y A RIEN À VOIR ICI! CIRCULEZ! J'AI DIT CIRCULEZ!

KRRR

?

AH NON! PAS LE FREIN À MAIN! PAS LE FREIN À MAIN!

KRRR

③

Gnagnagna ...glop ?

SC.: CAUVIN

Au fil de l'eau

Electrochoc

Egout et des couleuvres

Mon pote, le gitan...

PLUS TARD...

VOUS VOYEZ ? ILS SE SONT INSTALLÉS LÀ !

O.K. ! RETOURNEZ A' VOTRE FERME ! ON VA LEUR RENDRE UNE PETITE VISITE !

VOUS ÊTES LE CHEF ?

OUI ! QU'EST-CE QU'ON NOUS REPROCHE ENCORE ? ON N'A RIEN FAIT...

ON NE VOUS REPROCHE RIEN ! ENFIN, JUSQU'A' PRÉSENT ! VOUS COMPTEZ RESTER LONGTEMPS ICI ?

VOTRE AVENIR VOUS INTÉRESSE ?

HEIN ?!

C'EST QUE...

NON ! DEMAIN, NOUS SERONS REPARTIS A' LA PREMIÈRE HEURE !

OH, MAIS ÇA NE VOUS COÛTERA RIEN ! DONNEZ-MOI VOTRE MAIN...

MMM...MÉFIEZ-VOUS ! VOUS ALLEZ RENCONTRER QUELQU'UN... UNE FEMME ! ELLE VA VOUS CAUSER UN TAS D'ENNUIS...

SI C'EST DE LA MIENNE QUE VOUS PARLEZ, C'EST DÉJA' FAIT !

DIS DONC, ARTHUR, T'AS VRAIMENT RIEN D'AUTRE A' FAIRE !? NOUS NE SOMMES PAS ICI POUR RIGOLER !

ON A LE DROIT DE CONNAÎTRE SON AVENIR TOUT DE MÊME... HA HA HA !

ET A' PRÉSENT, QU'EST-CE QU'ON FAIT ?

ON VA S'INSTALLER A' LA FERME ET ATTENDRE ! DE TOUTE FAÇON, ON N'A RIEN A' CRAINDRE ! ILS SONT GENTILS, CES NOMADES !

QUARANTE-HUIT... QUARANTE-NEUF...

?

2

MAIS QU'EST-CE QUE VOUS FAITES ?

VOUS VOYEZ BIEN ! JE COMPTE MES POULETS !

JE ME MÉFIE JE VOUS DIS !

CINQUANTE-TROIS... CINQUANTE- ...© ☆※ ! RESTE DE L'AUTRE CÔTÉ LA ROUSSETTE, OU' TU ES BONNE POUR LA CASSE-ROLE !

CINQUANTE-QUATRE...

TROIS... QUATRE... CINQ... SIX... SEPT...

QU'EST-CE QU'IL FAIT A' PRÉSENT ?

IL COMPTE SES VACHES APPAREMMENT, IL NE VEUT RIEN LAISSER AU HASARD...

CLIK... CLAK...

ET MAINTENANT ?

IL ENFERME BERTHA DANS L'ÉCURIE !

SA JUMENT ?

NON, SA FEMME !

DIX-SEPT... DIX-HUIT... ALORS !? C'EST POUR AUJOURD'HUI OU POUR DEMAIN ?

FLOP

DIX-NEUF...

QU'EST-CE QUE C'EST !?

IL RAMASSE SES ŒUFS !

QUATORZE ! LE COMPTE Y EST !

C'EST PAS VRAI ! MAIS C'EST PAS VRAI ! IL VA FINIR PAR SE RENDRE MALADE !

AAAAAAH !

?

QU'EST-CE QUE VOUS VOULEZ !? HEIN ? DITES !

ACHETER UN OU DEUX POULETS !

Brosse des neiges...

Allez les Verts !

Le compte y est

Tests ...

RHÂÂÂ... TAKA TAKA TAKA

JE N'EN POUVAIS PLUS ! JE N'EN POUVAIS PLUS !

VOUS AVEZ CRAQUÉ A' LA HUITIÈME BILLE ! CE N'EST PAS SI MAUVAIS QUE ÇA... LE CANDIDAT PRÉCÉDENT A CRAQUÉ A' LA QUATRIÈME... A TIRÉ SUR L'INSTRUCTEUR ET SUR DEUX PASSANTS !

ON REPREND LA POSITION ET ON PASSE AU TEST QUATRE : LES RÉFLEXES...

PARDON MONSIEUR L'AGENT POURRIEZ-VOUS M'INDIQUER...

BIEN !

ET PUIS QUOI ENCORE ? ON VEND DES CARTES A' CÔTÉ !

BIEN !

JEUNE HOMME, JE...

STOP!

RESTEZ PAS LA' PÉPÉ, CIRCULEZ !

J'AI... J'AI GAFFÉ ?

ET COMMENT ! QUAND VOUS VOYEZ UN TYPE D'UN CERTAIN ÂGE AFFUBLÉ DE LUNETTES, D'UNE SERVIETTE ET D'UN PARAPLUIE CIRCULER AUTOUR DE L'AMBASSADE, IL N'Y A PAS DE DOUTE : C'EST L'AMBASSADEUR !

J'AI ÉCHOUÉ !?

PAS ENCORE ! VOUS AVEZ LA MOYENNE, MAIS IL FAUDRA FAIRE ATTENTION A' NE PAS RATER LE TEST SUIVANT...

@☆! VOUS POURRIEZ CHOISIR UNE AUTRE AMBASSADE TOUT DE MÊME...

3

VOUS ATTENDEZ QU'UNE VOITURE S'AR-RÊTE DEVANT VOUS! VOUS N'AVEZ QUE QUELQUES INS-TANTS POUR VÉRI-FIER S'IL N'Y A RIEN DE SUS-PECT À L'IN-TÉRIEUR..

ATTENTION, EN VOILÀ JUSTEMENT UNE! VOUS AVEZ DIX SECONDES!

STOP! TERMINÉ!

ALORS? IL N'Y AVAIT RIEN DE SUS-PECT DANS LA VOITURE...

DES JOURNAUX, LES PAPIERS DE BORD, UNE BOÎTE DE KLEENEX ET UNE CHAUSSURE POINTURE 44 DE COULEUR NOIRE!

ET DANS LE COFFRE?

LE COFFRE? IL ÉTAIT FERMÉ!

ET VOUS N'AVEZ PAS DEMANDÉ AU CHAUFFEUR DE L'OUVRIR?

LE CHAUFFEUR!? QUEL CHAUFFEUR?

WHAM

!

PLUS TARD...

RECALÉ?

OUI!

ET TOI ALBERT, TU AVAIS AUSSI VOULU PARTICIPER À TA FAÇON À LA RÉALISATION DE L'EUROPE! QU'EST-CE QUE T'AVAIS ACCEPTÉ DE FAIRE!

OH MOI, J'AVAIS ACCEPTÉ UN POSTE EN ANGLETERRE, POUR APPRENDRE AUX AUTOMOBILISTES À ROULER À DROITE! TE! MAIS C'EST MOI QUI AI ABANDONNÉ!

FIN

4 202

Pour quelques briques de plus...

NONDIDJUDENONDIDJU!

?

QUELQUE CHOSE QUI NE VA PAS MON CHÉRI !!?

TU PARLES ! J'AI ENCORE CALCULÉ TROP JUSTE ! IL ME MANQUE UNE BONNE DIZAINE DE BRIQUES POUR FINIR MON MURET...

AH, ÇA, C'EST EMBÊTANT !

TU PARLES ! SURTOUT QUE NOUS SOMMES DIMANCHE, ET QUE LE DIMANCHE, ON PEUT SE BROSSER POUR AVOIR UN MAGASIN OUVERT !

MMM... A' MOINS QUE ...

?!

ÉCOUTE, CHÉRI ! IL Y A UNE MAISON EN CONSTRUCTION NON LOIN D'ICI ! ET IL Y A UN GROS TAS DE BRIQUES DEVANT...

OOOH ! TU NE VOUDRAIS TOUT DE MÊME PAS QUE JE LES VOLE !!?

PAS TOUTES ! UNE DIZAINE SEULEMENT... QU'EST-CE QUE C'EST QUE QUELQUES BRIQUES SUR TOUTE UNE MAISON EN CONSTRUCTION?..

EMMÈNE ÉRIC ! IL SAIT OÙ ELLE SE TROUVE ET IL T'AIDERA !

ÉRIIIC !

OUI 'PA !

PLUS TARD...

'FAIT CALME HEIN, ALBERT !!?

TU PARLES ! IL N'Y A PAS UN CHAT DEHORS ! A' CROIRE QU'ILS SONT TOUS EN VADROUILLE OU AFFALÉS DEVANT LEUR T.V. !

1

SC: CAUVIN J.ROBA 84

47